BLUE ISLAND PUBLIC LIBRARY
3 1237 00317 0926

D1075737

Teléfono: 1946-0620
Fax: 1946-0655
e-mail: a_literatura@editorialprogreso.com.mx
e-mail: servicioalcliente@editorialprogreso.com.mx

Desarrollo editorial: Víctor Guzmán Zúñiga
Dirección editorial: Eva Gardenal Crivisqui
Edición: Ariel Hernández Sánchez
Coordinación de diseño: Rigoberto Rosales Alva
Diseño de portada e interiores: Sandra Donin y Martha Cuart
Ilustración de portada e interiores: Gustavo Damiani

Naranjo No. 248, Col. Santa María la Ribera
Delegación Cuauhtémoc, CP 06400
México, DF

Eclipse de gol
(Colección Rehilete)

Miembro de la Cámara Nacional de la Industria Editorial Mexicana
Registro No. 232

ISBN: 978-970-641-837-1 *(Colección Rehilete)*
ISBN: 978-607-456-293-4

Impreso en México
Printed in Mexico

1ª edición: 2010

Eclipse de gol

Orlando Romano

Ilustraciones de Gustavo Damiani

Hubo un hombre al que nunca conocí del todo; de su parte, el primer regalo que recibí fue una balón de futbol. ¿Sabía, aquel extraño hombre, que me estaba regalando un sueño? El sueño de ser como Pelé, Maradona, Raúl, Hugo Sánchez... Un sueño que también me permitiría comprarle a mamá una casa más bonita y más grande, y decirle adiós a la pobreza familiar. No pudo ser. Mi destino era otro.

Ha pasado tanto tiempo desde aquel primer regalo, sin embargo a veces sueño que realizo goles maravillosos, y que miles de voces corean mi nombre y las manos enrojecen por los aplausos. Aquel hombre ya no está conmigo; me pregunto si lo decepcioné, o si se sentiría orgulloso de saber que vivo para escribir historias. Daría cualquier cosa porque él tuviera este libro entre sus manos; es mi forma de decirle que los sueños imposibles pueden hacerse realidad de distintas maneras.

Este libro es para él, mi padre, que no permitió que aquel sueño muriera.

La dulce espera

Mi padre tenía todo muy bien preparado para cuando yo naciera: camisetitas, pantaloncillos cortos, calcetas de futbol... y, por supuesto, un reluciente balón.

El día del parto, cuando una simpática enfermera lo felicitó por ser el padre de una bonita y saludable niña, él tuvo un desmayo que le duró casi un par de horas.

Cuando al fin recuperó el conocimiento, a todos los que le rodeaban les pidió "por favor" que le dijeran que se había tratado de un simple sueño, y que el fruto del vientre de mi madre era en realidad un varoncito.

—No, señor... Usted ha sido papá de una niña. Niii-ñaaa.

El pobre volvió a desmayarse.

Hasta el día de hoy, muchos años después, toda la familia sigue gastándole bromas al respecto. Y no es que mi padre no haya amado a mi querida hermana Anita desde el primer momento.

Pasaba que él, desde muy pequeño, soñó con todas sus fuerzas con transformarse en estrella de futbol. Y como por esas cosas de la vida no lo logró, quería tener un hijo varón para que, de alguna manera, aquel sueño frustrado se hiciera realidad.

Sin embargo, aquel verano su sueño tuvo que esperar. De manera que las camisetitas, los pantaloncillos, las calcetas y el balón fueron a parar dentro del clóset.

Parece ser que, en ocasiones, a escondidas, mi padre hacía que mi hermana le diera pataditas a alguna naranja que él ponía a rodar por el piso.

—¡No hagas eso, Tomás! ¿Acaso quieres que la niña crezca con las piernitas torcidas? –le reclamaba mi madre cuando lo descubría.

¿Qué hacía papá? Lanzaba un largo suspiro de resignación, y ponía en los brazos de Anita alguna muñeca que él mismo le había quitado minutos antes.

Apuesto a que no se imaginan cuál fue la primera palabra que pronunció Anita. ¿Mamá? No, esa no.

¿Papá? Qué va, esa tampoco. La primera palabra que dijo fue "Maradona". Como ven, la afición futbolera de mi padre ya era el colmo.

El tiempo pasó (porque el tiempo tiene esa costumbre: pasar). El tiempo pasó y un buen día el vientre de mamá comenzó a crecer y a hincharse como un balón. Sí, sí, estaba embarazada.

—Vamos a hacer un ultrasonido –propuso papá–. Esta vez quiero saber de antemano si será niño o niña.

—Pensé que te gustaban las sorpresas –bromeó mamá.

—Eso era antes, querida. La gente cambia.

Y allá fuimos al hospital. El médico que nos recibió le pidió a mami que se recostara en una camilla, y luego le puso algo así como una pomada en el vientre, algo muy frío que me hizo tiritar como una hojita al viento.

Aunque cueste creerlo, yo sabía todo, todito lo que afuera estaba ocurriendo. Mis padres y el doctor miraban atentamente la pantalla por donde yo iba a aparecer. ¡Tan pequeñito y ya en televisión!

Sentí tanta vergüenza que de inmediato tapé con mis manitas mis partes más íntimas.

"Mmmmm", mascullaba el médico, la vista fija en el monitor.

—¿Qué es, qué es? Por favor dígame que es un varoncito –se impacientaba papá.

—Pero Tomás, por favor, deja que el doctor haga su trabajo.

—Lo siento, señor. Pero no se ve nada.

—¡¿Cómo que no se ve nada?! ¿Y esa cosita blanca que aparece ahí?

—Es un dedito de la mano, señor.

—¿Está todo bien allí adentro, doctor? –quería saber mamá, pues lo único que le importaba era mi bienestar.

—Su bebé es muy saludable, señora. Está estupendo.

—Nada de estupendo –esa era la voz de papá.

—¡Pero, Tomás...!

—No puede decirnos que está todo estupendo cuando no nos puede informar cuál es el sexo de nuestro bebé.

—¡Tomás!

—Lo siento mucho, señor. Pero la criatura está en una posición que no nos permite ver con claridad.

—No lo puedo creer –papá caminaba de una punta a la otra del consultorio–. Tiene que haber otros aparatos, otros instrumentos que permitan ver mejor ahí adentro.

El doctor, comprensivo, le dio unas palmaditas en la espalda.

—Por ahora es lo único que tenemos. Pero al menos contamos con la plena seguridad de que será una personita fuerte y sana.

Mientras mamá derramaba lágrimas de emoción, papi se comía las uñas.

Con el correr de los meses hubo otros ultrasonidos, pero yo nunca les dejé apreciar mis partecitas íntimas. A veces me tapaba con las manos, otras veces me colocaba de espaldas. Todavía me parece ver a papá apoyando la oreja en el vientre blanco y redondo donde yo vivía.

—Creo que está pegando pataditas –se entusiasmaba.

—Pues yo no siento nada, Tomás.

—¡Ahora pegó un cabezazo!

—Quizás nos salga boxeador –opinaba mamá.

—¿Es que no lo entiendes, cielo? Sólo en el futbol hay cabezazos.

—En el boxeo también.

—Pero eso es ilegal, es hacer trampas. En el futbol sí que se vale cabecear.

—Anita está llorando, cariño. Estará aburrida. ¿Por qué no vas a jugar un rato con ella, mientras yo preparo la comida?

Y allá iba mi padre, casi arrastrando los pies, a regañadientes, a entregarse a la tarea de peinar muñecas, cambiarles el vestido, servir tacitas de té…

En esos días en que le notaba tan aburrido, yo tenía unas ganas inmensas de gritarle: ¡No te preocupes, papi, cuando yo salga de aquí tendrás con quien jugar a juegos de varones!

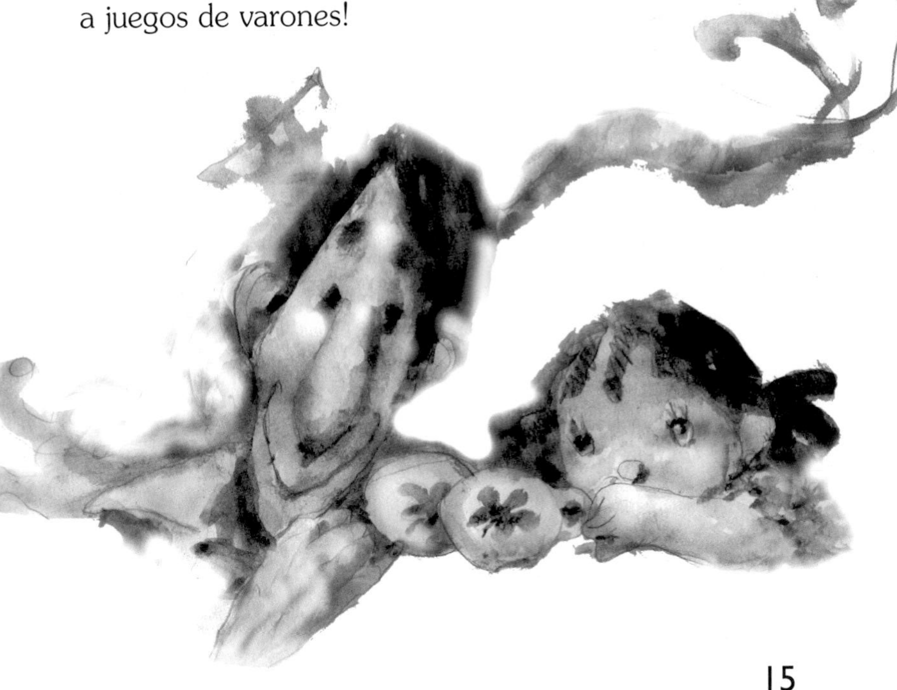

El sueño de mi padre

Ahora les contaré con más detalles por qué mi padre esperaba con tanta ansiedad tener un hijo varón.

Como saben, todas las personas tienen esperanzas, sueños, ilusiones… Y el gran sueño de papá, desde muy pequeño, fue el de convertirse en estrella de futbol. Y al parecer, era un excelente jugador.

—Voy a enseñarte algo –me dijo mamá cierto día.

De un viejo armario sacó una gran caja de cartón, y mientras la abría me miró de reojo.

—Será nuestro secreto, mi cielo. ¿De acuerdo?

La caja estaba repleta de trofeos, diplomas, medallas y antiguas fotos de papá cuando era más joven.

—¿Y esto? –me sorprendí.

—Tu padre jugaba de delantero, como Cuauhtémoc Blanco. Y fue goleador en muchos campeonatos.

—¿Cómo es que yo no lo sabía...? Mira, aquí aparece con la camiseta del club Juventud Unida.

—Allí lo adoraban. Y hasta había otros clubes interesados en él.

—¿Tan bueno era?

—Mejor que bueno.

—Ahora entiendo por qué le gusta tanto el futbol, pero... ¿Por qué nunca me enseñó estas cosas, mamá?

—Ya no quería saber nada de estas cosas. Pero yo las guardé sin decirle nada.

—¿Y eso?

—Porque no le gusta recordar su época de jugador. Le da mucha tristeza.

—¿Qué le ocurrió? ¿Le pasó algo malo?

—Bueno, te cuento... Tú no llegaste a conocer a tu abuelo, al padre de tu padre.

—Por fotos solamente.

—Claro, él falleció siendo un hombre joven. Cuando eso pasó, Tomás tuvo que ponerse a trabajar para ayudar en su casa. Con diecisiete años, era el mayor

de todos sus hermanos. Comenzó como ayudante en una carpintería. Y entre ese trabajo y el colegio, ya no le quedó tiempo para entrenar con su equipo.

—Qué lástima...

—Gracias a su esfuerzo, tus tíos pudieron terminar sus estudios. Se comportó como un hombrecito en tiempos muy difíciles.

—¿Cuándo te conoció a ti ya no jugaba?

—Lo hacía, sí, en campeonatos de barrio, muy de vez en cuando. Pero eso de ser jugador profesional fue como una espina que se le quedó clavada. Una deuda pendiente consigo mismo.

—Me hubiera gustado que me mostrara estas cosas... En esta foto parece que está dando una vuelta olímpica.

—Dio muchas. Quizás algún día él te hable de aquellos tiempos.

Así llegué a comprender por qué papá quería con tantas ganas tener un hijo varón. Al fin entendí por qué se desmayó cuando nació Anita, y por qué volvió a desmayarse cuando nací yo.

Yo era apenas un bebé cuando él, orgulloso, me presentaba ante todos sus amigos diciéndoles:

—Miren qué piernotas tiene. Va a romper todas las porterías... y el cuello, parece un torito... será un estupendo cabeceador, como Pelé.

Yo le escuchaba sin saber qué era una portería, quién era Pelé y mucho menos lo que significaba ser un cabeceador. Pero me sentía feliz de verlo tan feliz.

Los fines de semana me sentaba en sus rodillas y juntos mirábamos los partidos en la televisión. Futbol español, argentino, inglés y hasta africano.

—¡Pero Tomás! ¿No te das cuenta que el niño no entiende nada de eso? Es muy chiquito. Ponle el canal de los dibujos animados aunque sea por un rato.

De tanto ver a esos hombrecitos correr de aquí para allá en la TV, se me cansaban los ojitos y mi cabecita se ladeaba de un lado para otro, totalmente mareado.

—¿Por qué no juegan un poco con Anita? La pobre está aburrida.

Anita se sentía feliz de que nos pusiéramos a jugar con ella, pero la felicidad le duraba más bien poco. Solía enfadarse muchísimo cuando papá le arrancaba la cabeza a alguna muñeca para hacer que yo le diera de patadas sobre la alfombra. Ahí nomás se echaba a patalear y chillar sin consuelo.

—¿Qué le sucede a la niña, Tomás? –preguntaba mamá desde la cocina.

—Parece que no quiere compartir sus juguetes con nosotros –respondía papá.

Pero al final Anita se consolaba cuando papá le prestaba su celular. Ella tenía locura por los teléfonos,

los controles remotos y todo lo que tuviese botones. Con eso se olvidaba de todo, hasta de sus muñecas.

Con mi padre hacíamos un montón de cosas juntos, y muchas más a medida que yo iba creciendo.

Cuando llegaba la temporada del papalote, íbamos al campo de un amigo suyo donde se hacían competencias. Iban muchos padres con sus hijos. Vencía la cometa que volaba más alto.

Pero bueno, ni siquiera en aquellos momentos papá se olvidaba del futbol. Nuestro papalote tenía, estampado bien en el centro, un balón con muchos escudos de varios clubes de futbol.

Pero mi mayor aventura de la infancia fue cuando tenía cinco o seis años. Era una tarde de sábado. Mamá y Anita se habían ido a visitar a unos familiares nuestros.

—Omarcito, hoy te llevaré a que conozcas un lugar fabuloso.

—¿Iremos al parque de diversiones? –salté de alegría.

—Mejor que eso.

Jamás de los jamases olvidaré aquella tarde. El estadio Azteca lleno de gente, inmenso, mejor que en la televisión. Nunca había visto a tantas personas juntas, y tan contentas. Todo allí parecía vibrar, latir, porque miles de hombres, mujeres y niños cantaban y aplaudían a sus jugadores.

Mi corazón casi escapaba de mi pecho cuando se gritaba un ¡¡¡GOOOLLL!!! Y yo sentado sobre los hombros de mi padre, viéndole festejar, cantar y hasta bailar, me sentía el niño más afortunado del planeta.

Mi amor por las historias

En Navidad, en Día de Reyes, en mi cumpleaños e incluso el día de mi santo, yo siempre recibía regalos (nunca eran muy costosos, hay que aclararlo, porque éramos una familia común, de clase media). Mi infancia estuvo repleta de obsequios, y todos tenían que ver con lo mismo: sí, adivinaron, con el futbol.

Camisetas, balones, chamarras, banderines, juegos de video, DVDs con los mejores goles de la historia, cuadernos para colorear a los jugadores, álbumes con estampitas para coleccionar...

Todos esos regalos me gustaban muchísimo, pero en el fondo yo esperaba que algún día me sorprendieran con algo diferente. Nunca fui de pedir cosas, y mucho menos mostrarme disconforme con lo que podían llegar a darme, todo lo recibía con alegría y emoción.

Bueno, pero yo era un niño, y todos los niños esperan ser sorprendidos, no importa que sea con algo pequeño, simple, humilde. Porque eso de abrir un paquete y ya saber de antemano lo que tiene adentro no es para nada sorprendente. ¿A que no?

Por suerte la niñez está repleta de sorpresas agradables. Y esta gran sorpresa de la que les hablaré sucedió durante una Navidad, cuando al pie del arbolito encontré un paquetito cuadrado, con una tarjetita en la que leí: "Para Omar, de su madre que lo adora".

Se trató de un regalo muy, muy especial. Súper especial... Era un libro. Un libro algo viejito, de hojas amarillas y un poquito gastadas por el tiempo.

—Como sabes, mi niño, nuestra economía no está como para darnos tantos gustos. Pero he querido compartir esto contigo. Espero que te guste y lo disfrutes –dijo mamá.

—¡Es un libro de cuentos! –exclamé con emoción–. ¡Y está lleno de ilustraciones!

—Es un librito que tiene su historia –me contaba mi madre–. Cuando yo era pequeña tuve un accidente mientras paseaba en bicicleta, y me fracturé una pierna. Era una niña muy inquieta, igual que tú. Me gustaba correr de aquí para allá todo el santo día.

—O sea que tuviste que guardar reposo.

—Desde luego. Un mes entero en cama casi sin poder moverme.

—¡Uyyy, qué feo!, mami.

—Un espanto de situación.

—Imagino lo que te habrás aburrido.

—Como una piedrita en el fondo del mar.

Los dos nos reímos de la ocurrencia.

—Me aburrí como un hongo, hasta que un buen día llegó mi padre con un libro bajo el brazo.

—Era éste mismo. ¿A que sí?

—Sí, sí, éste mismo. Y me gustó tanto que leía y releía los cuentos hasta aprendérmelos de memoria. Leerlo fue como entrar en un mundo mágico, un mundo de maravillas. En aquel entonces yo tenía tu misma edad.

Agradecido, pasé mis brazos alrededor de su cuello y le di muchos besos.

—Gracias, mami. Es el mejor regalo del mundo.

Aquel libro se llamaba *El príncipe feliz*, del escritor Oscar Wilde. Y tan sólo necesité dos días para leerlo de punta a punta, desde la primera a la última página. Era mejor que estar mirando la televisión, porque al leer yo también miraba, miraba las historias pero hacia adentro mío.

Al igual que mamá, llegué a aprender algunos cuentos casi de memoria. Gracias a esas historias conocí lugares maravillosos, y también pude conocer personajes y situaciones que muchas veces encontré en la vida real: personajes buenos, malvados, generosos, egoístas...

Me di cuenta de algo muy importante: si un libro era capaz de hacer soñar, de entretener a una niña que estaba enferma y en cama, no había otra cosa mejor que eso.

A partir de entonces, cada vez que me sentía un poco triste o aburrido, buscaba una buena historia para leer, y así me olvidaba por un rato de las cosas desagradables o amargas que a veces tiene la vida de un niño.

En esos días en que Anita andaba triste, yo le relataba alguna de las historias que había leído. Me encantaba ver cómo se le iluminaban los ojos, cómo aparecía el asombro en su cara, la forma en que se alegraba ante los finales felices.

Con papá las cosas eran diferentes. A él sólo le gustaba que yo le leyera los suplementos deportivos de los periódicos.

"Omarcito, por favor fíjate si dicen algo sobre el nuevo entrenador del Atlético..."

O:

"Léeme esa nota que habla de la selección española..."

O:

"¿Qué dijo Messi en la conferencia de prensa de ayer?"

Las veces que yo quería contarle algún cuento, de esos que me fascinaban, él me preguntaba si era una tarea para el colegio. Obviamente, yo le respondía que no.

"Entonces me la cuentas luego, Omar. Ahora están a punto de transmitir un partido importante de la Liga inglesa. Vamos a disfrutarlo juntos".

Nunca tenía tiempo para mis historias. Sin embargo, era un hombre muy ocupado, y cuando no estaba trabajando, el futbol era su entretenimiento favorito. No podía culparle por eso. Quizás lo único que hubiese podido reprocharle es que no se hiciera de un tiempito para compartir conmigo ese gran amor por los libros de cuentos.

En aquel entonces yo, en el fondo, comenzaba a hacerme una pregunta que no pude compartir con papá:

"¿Era una locura soñar con ser escritor y así poder entretener a la gente con historias que uno mismo se inventaba".

Mis amigos y Los Diablos

Frente a nuestra casa había un terreno donde con los chicos de mi calle nos juntábamos para jugar al futbol. Éramos muy unidos. Teníamos casi todos la misma edad, y también muchas cosas en común: el futbol era nuestro deporte favorito, y nuestros padres soñaban con que algún día nos convirtiésemos en jugadores profesionales.

Pero además de correr como locos por detrás de un balón, cada uno tenía un pasatiempo muy diferente a los otros: Hugo armaba barcos de madera muy bonitos, Daniel criaba palomas, Rubén hacía los mejores papalotes del barrio, David tocaba la guitarra, Miguel armaba casitas y edificios con cajitas de cerillos, Andrés observaba las estrellas con un telescopio.

En cuanto a mí, me pasaba horas y horas leyendo libros y revistas de aventuras. A veces, incluso, me animaba y escribía mis propias historias. Historias que yo mismo me inventaba, de fantasmas, de detectives, de héroes que viajaban al espacio, de monstruos marinos y extraterrestres.

Pero mejor les sigo contando del terreno que usábamos como cancha de futbol, que estaba frente a mi casa. Si bien jugábamos diariamente, el día más especial de todos sin duda era el domingo. Era el día en que nos enfrentábamos, muy decididos, con los muchachos de la otra calle.

Aquellos siete muchachitos metían miedo. Uno les veía y daban la sensación de desayunar con vitaminas de crecimiento acelerado. Eran más altos, más rápidos y más fuertes que nosotros.

Ellos aseguraban que tenían nuestra misma edad, pero que eran más grandes porque su calle estaba más lejos que la nuestra de la avenida principal del barrio, y que por lo tanto no padecían la contaminación que dejaban los vehículos en el aire. Menuda explicación.

Una sola vez logramos empatarles un partido, pero ganarles, jamás. Para nosotros los partidos se asemejaban en mucho a una batalla. Terminábamos con golpes y moretones en todo el cuerpo.

No alcanzaban nuestras ganas, nuestra habilidad (que la teníamos), nuestra valentía de vikingos. No alcanzaba ni con el aliento de nuestros padres, que desde un costado del campo enrojecían sus gargantas con instrucciones, estrategias y órdenes.

Todavía resuenan en mi cabeza el sonido de aquellas voces:

"¡Corre, Daniel!"

"¡Fuerza, David!"

"¡Que saltes, Rubén!"

"¡No te dejes. Tú puedes, Hugo!"

"¡Chuta, Miguel!"

"¡Pasa el balón más rápido, Andrés!"

"¡Que así nooooo, Omar!"

Sí, Omar era yo.

Según dicen, una de las cosas fundamentales de la vida es aprender a ser buenos perdedores. Y esa lección, para serles sincero, la aprendimos porque no nos quedaba alternativa.

Nuestros eternos rivales nos gritaban sus goles en la cara, y al final del partido se marchaban palmoteando y cantando canciones de victoria que se clavaban en nuestros corazones como puñales.

Como les dije, a la fuerza aprendimos a ser buenos perdedores, porque por más que sintiésemos muchas ganas de darles una buena paliza, no hubiéramos podido. Parecían diablos. Diablos invencibles del balón.

La primera y única vez que logramos un empate, festejamos como si se tratara de un triunfo. Entonces los diablos se pusieron a cantar burlonamente:

"¡Festejan un empate, todos ustedes son un desastre...!"

"¡Festejan un empate, todos ustedes son un desastre...!"

Hay muchas formas de perder, pero lo que a nosotros más nos dolía era perder en nuestra calle, en nuestro propio campo, y con nuestros padres viéndonos.

Cuando caía el sol dominguero, regresábamos a nuestras casas cabizbajos, avergonzados, humillados, buscándole explicación a una nueva derrota. Supongo que eran mejores, no había otra explicación.

Los domingos durante la noche, luego de la cena, con papá nos sentábamos en el patio trasero para hablar del partido, de la batalla. Me decía lo que yo había hecho bien y lo que no. Me hablaba de los errores que no debía cometer en próximos encuentros con Los Diablos, también de mi posición y mis movimientos en el campo.

Una noche me preguntó:

—Dime la verdad. ¿Le tienes miedo a esos diablos de la otra calle?

Yo les tenía temor, pero negué con la cabeza.

—Me parece muy bien. Ya eres un hombrecito. Nada de miedos.

—Nos ganan porque son más grandes. Sólo por eso –murmuré.

—Eso no tiene nada que ver. Maradona siempre fue el más bajito de todos, los rivales parecían gigantes a su lado, pero él podía con ellos. Y Messi también es más pequeño que el resto.

—Es estupendo.

—¿No te gustaría ser como Messi?

Lo que mi padre no sabía era que yo ya era como Messi. Lo era en mi imaginación. Muchas tardes, en el patio trasero de la casa, cuando nadie me veía corría con el balón eludiendo piedrecillas, arbustos o los rosales de mamá, imaginando que eran Los Diablos.

El espacio que quedaba entre el naranjo y el limonero era la portería rival. Marcaba docenas de goles, mis compañeros de equipo me levantaban sobre sus hombros y todo el público coreaba mi nombre:

"Ooomaaar..."

"Ooomaaar..."

"Ooomaaar..."

En mi imaginación yo era mejor que Pelé, Maradona y Cuauhtémoc juntos. Mi padre sentía una gran admiración por ellos tres, y yo quería que él algún día se sintiera orgulloso de mí. Por eso cuando volvió a preguntarme:

—Omarcito, ¿quieres ser como Messi?

Respondí que sí. Sííí. Con toda la seguridad del mundo.

Emocionado, papá me apretó bien fuerte contra su pecho, dándome un abrazo largo-largo, de esos que duran diez segundos.

—Si ya estás decidido, entonces tengo una sorpresa para ti.

Abrí grande mis ojos, expectante.

—¿Escuchaste hablar del club Juventud Unida?

—¿Quién no? El que está al otro lado del río. De los chicos que juegan en ese equipo se dice que son como magos con el balón.

—No es para tanto...

—Pues eso dicen.

—Ayer conocí a su entrenador. Se llama Paco.

—¿Sí? ¿Cómo fue eso?

—Entró a la peluquería y se sentó a mi lado a esperar su turno. Noté que a cada rato miraba el reloj. Como era obvio que llevaba prisa le cedí mi lugar. Es un hombre muy amable. Agradeció mi gesto y me dio su número de teléfono para que lo llamara si necesito algo.

—Qué bien. ¿Y entonces?

—Hoy lo llamé y le pedí que te hiciera una prueba.

—¡Pero, papá!

—Sí, sí... Ya sé que estás contento.

Yo, en realidad, estaba espantado.

—Pero... Esos muchachos son demasiado buenos jugando.

—Porque entrenan duro. Con el tiempo puedes ser tan bueno como ellos, incluso mejor.

—Pero, papá...

—Ten paciencia. Mañana mismo volveré a comunicarme con Paco.

Una corriente eléctrica me recorría el cuerpo, y docenas de mariposas parecían revolotear en mi estómago. Esos muchachos eran tan habilidosos con sus pies que ni siquiera Los Diablos se les podían comparar.

Imaginen mi situación. El sólo pensar que decepcionaría a mi padre me llenaba de tristeza, y también de culpa. Él no se merecía algo así.

De futbol hasta las narices

La hora de la verdad se acercaba. Aquel día, ¿cómo olvidarlo?, yo era el centro de atención en mi colegio. Todos los varones de mi clase sabían que por la tarde me tomarían una prueba en el club Juventud Unida.

La noche anterior yo no había podido pegar un ojo de tan nervioso que estaba.

—Ten confianza. Seguro entras al equipo. Eres el mejor de todos nosotros –me animaba Julio.

—Sí, por supuesto. Eres veloz, habilidoso y goleador –me decía Manuel.

—¡Tengo una idea! ¿Por qué no me acompañan y hacemos que nos tomen una prueba a todos juntos? –propuse esperanzado.

—¡Qué dices, amigo! Esos muchachos nos pasarían por encima. Si alguien se entiende de maravillas con el balón, ese eres tú –opinó Diego.

—Mi padre me contó que vio jugar al tuyo –dijo Juan–. Jugaba en el Juventud Unida.

—Sí, eso fue hace mucho tiempo –respondí.

—Según parece, era casi igualito que Cuauhtémoc. ¿Por qué no siguió jugando?

—Tuvo que dedicarse a trabajar –respondí, sin ganas de dar más explicaciones.

Julio me dio unas palmaditas en la espalda, diciendo:

—Llevas el talento en la sangre, Omar. Seguro entras al equipo.

Recuerdo que alguien del grupo se atrevió a decir que yo, con el tiempo, jugaría en la selección mexicana de futbol.

Por la forma en que me miraban, estoy seguro de que cada uno de ellos hubiese dado cualquier cosa por estar en mi lugar. Y yo hubiera dado cualquier cosa por estar en la piel de cualquiera de ellos; hasta en la de Diego, que esa tarde tenía turno con el dentista.

Mis colegas no sabían de mis miedos, de mis dudas, de mi dolor de panza por culpa de los nervios. No sabían de la ansiedad, tan difícil de explicar, que me oprimía el pecho.

Entre ellos siguieron hablando y hablando de sus equipos favoritos, de sus ídolos del balón, del inolvidable gol de Maradona a los ingleses…

—¿Vieron el estreno de Rambo IV? –pregunté.

Yo quería que cambiaran de tema, porque el rollo del futbol ya me estaba asfixiando.

—Me dormí cuando la película iba por la mitad –dijo Manuel.

—Lógico, esa película es una de las más aburridas de todas las que se hicieron sobre Rambo –opinó Diego.

—¿Se imaginan a Rambo jugando al futbol? –bromeó Juan. Y todos le siguieron la corriente.

—Hubiera sido mejor que Messi, ja, ja, ja…

—¡Imparable para cualquier defensa!

—Si le quitas el balón, te amenaza con una ametralladora para que se lo devuelvas, ji, ji, ji.

—Y cuidado con que los espectadores le griten cosas feas.

—Es capaz de tirar una granada y salen todos corriendo, ja, ja, ja…

De tanto reírse, algunos se agarraban el estómago, otros se apoyaban contra la pared, otros se quedaban colorados y sin aire...

Con gran alivio escuché el timbre que anunciaba el final del recreo. Fue un alivio para mí, más allá de que ahora nos tocaba con la de matemáticas, materia que yo detestaba porque se me daban muy mal los números.

Al menos durante un buen rato no escucharía hablar de futbol. Eso suponía yo, pero me equivoqué.

—Quiero que hagan el siguiente cálculo –dijo la profesora–. Si Messi convierte 3 goles por partido, ¿cuántos goles convertirá en un campeonato donde intervienen 20 equipos?

Yo no salía de mi asombro. ¿Aquello estaba ocurriendo en la vida real, o lo estaba soñando? Todo parecía estar hecho a propósito para que yo me sintiera bajo una presión casi insoportable.

Julio estiró su cuello para hablarme al oído:

—Es fácil. Si hay 20 equipos, Messi jugará contra 19 rivales, porque su propio equipo no cuenta, ¿entiendes, Omar? Tenemos que multiplicar 3 por 19.

Allá, en el fondo del aula, alguien levantó la mano para protestar.

—Pero, profesora... En lugar de Messi, ¿no podríamos poner a otro jugador? Messi juega en el Barcelona, y aquí la mayoría somos del América.

—Como te guste más. El nombre del jugador no es lo más importante –dijo la profe.

—Aunque tratándose de Cuauhtémoc, tal vez convertiría cuatro goles por partido en vez de tres –comentó Mario, que era un experto en armar líos en clase. Cada vez que abría la boca se armaban discusiones que podían durar varios minutos. Era una estrategia para hacer perder el tiempo a los profesores.

—Y algunos aquí son del Guadalajara –siguió diciendo Mario.

—Desde luego, yo soy del Guadalajara –se puso de pie Alejandro–. Creo que tengo derecho a hacer el ejercicio con el jugador que yo quiera.

—Pero tu ídolo está lesionado ahora. No podrá convertir tantos goles –comentó Mario, burlón.

—Lesionado y todo, él es mucho mejor que Cuauhtémoc y que Messi.

Hubo abucheos, silbidos, gritos a favor y en contra. El alboroto era total, y hasta las niñas participaban de él. En cierto momento fue tanta mi desesperación, que estuve a punto de jalarme los cabellos y ponerme a gritar: "¡Ya basta de futbol, por favoooooorrrr!"

Pero la profesora de matemáticas me ganó. No se jaló los cabellos, pero sí se puso a gritar:

—¡Silencio! ¡Siiileeenncio!

Entre asustados y sorprendidos, todos se quedaron mudos. Se podía oír hasta el vuelo de un mosquito.

Finalmente la profesora, muy enfadada, decidió que cambiaría el ejercicio, que en vez de goles y jugadores, utilizaríamos a una señora que va al supermercado a comprar naranjas, jitomates y cebollas.

No llegué a enterarme bien de las cuentas que debíamos realizar, mi cabeza volaba como un balón que es chutado por una feroz defensa. Me sentía agobiado.

Aquel día, al sonar el timbre de salida, gané la puerta sigilosamente, como un gato en la oscuridad, para que ninguno de mis colegas me viese. Una actitud nada amistosa de mi parte, pero bueno; estaba muy nervioso y quería evitar cualquier conversación sobre la prueba que me tomarían por la tarde.

Antes de cruzar la calle, la voz más dulce del mundo me saludó. Era Adrianita, la más guapa de mis compañeras; o al menos eso me parecía a mí desde que dejó de usar esas gafas horribles y se puso lentes de contacto.

—Alguien me comentó que hoy te vas a probar en el Juventud Unida –dijo con una sonrisa llena de picardía.

Yo me encogí de hombros e hice que sí con la cabeza, como quitándole importancia al asunto.

—Date prisa, mi niña –le llamó su madre para que entrara al coche.

—Entonces vas a necesitar mucha suerte, Omar –luego de decir esto me dio un inolvidable beso en la mejilla, y salió corriendo.

Me quedé duro, como de piedra, sin entender por qué mis pies estaban helados, mi piel de gallina y mi cara como un fuego. Y eso no fue todo, porque unas chispitas eléctricas subían y bajaban por mi espalda.

Adrianita nunca supo lo que significó aquel beso para mí. Aquel beso, el primero que me daba una chica, me dio fuerzas para afrontar el desafío futbolero, me quitó los temores y me hizo sentir el joven más especial del colegio.

Una estrella empieza a brillar

Mientras nos acercábamos al club en el coche, mi padre me daba miles de recomendaciones:

"Siempre trata de entregar el balón al compañero mejor ubicado".

"Cuando recibas el balón, rápidamente levanta la cabeza para ver si tienes rivales cerca".

"Recuerda que es un juego en equipo, no intentes hacer todo tú solo".

"Nunca cierres los ojos cuando saltes a cabecear".

"Apenas se presente la oportunidad, chuta a la portería".

Escuchándole, comprendí que mi padre estaba mucho más ansioso y nervioso que yo. En cierto momento pasó su mano por mis cabellos, tiernamente, y me miró a los ojos:

—Llegamos, Omarcito. ¿Quieres preguntarme algo? ¿Tienes alguna duda? ¿Estás tranquilo?

De pronto desapareció el efecto positivo del beso que me dio Adrianita. Ahora yo no estaba para nada tranquilo, tenía muchas dudas y preguntas que me hubiese gustado hacerle a mi padre, como por ejemplo:

"¿Estabas nervioso cuando jugaste por primera vez en el Juventud Unida?"

"¿Mi abuelo te acompañó?"

"¿Fue muy triste cuando no pudiste jugar más?"

"¿Te vas a poner triste si no logro entrar al equipo?"

Y estaba mi pregunta más importante de todas:

"Si no me aceptan en el equipo, ¿me vas a seguir queriendo, papá?"

En es instante yo tenía como un nudo en la garganta, y no pude abrir la boca. Quizás lo que me hacía falta en aquel momento, era que él me abrazara. Que me diera un abrazo fuerte, igual al que me dio mamá al salir de casa.

"Pase lo que pase, siempre serás mi campeón", me había dicho ella al oído.

Una vez escuché que las madres conocen el pensamiento de sus hijos, que saben lo que nos pasa por dentro, si estamos tristes, alegres o preocupados por algo. Y yo creo que es muy cierto.

Los padres, en cambio, con nosotros los varones se comportan bien distinto. Nos enseñan que hay que ser hombrecitos, que no hay que llorar, que hay que soportar el dolor de un golpe sin chillar como una niña, que debemos ser valientes, que jamás hay que tener miedo... Creo que en el fondo no quieren que seamos como ellos, sino mejor que ellos.

¿Quién entiende a los padres? Bueno, mejor les sigo contando lo que pasó aquella tarde.

Conocí a Paco, el entrenador. Era un hombre muy simpático, enorme como una montaña. Recuerdo que me saludó con un apretón de manos, como si yo fuese alguien mayor.

Todos los muchachos que estaban ahí reunidos me miraban como si fuese un bicho raro. Paco me puso una mano en el hombro y nos apartamos unos metros. Quería hablarme a solas:

—Muchacho, estoy seguro de que debes sentirte muy incómodo. ¿Notaste la forma en que te observan?

—Sí, señor.

—Ocurre que los nuevos nunca son bienvenidos en un equipo de futbol. Los que ya forman parte del grupo se conocen, son amigos, y no les agrada la idea de que llegue alguien de afuera para ocupar el lugar de cualquiera de ellos.

—Eso pensé.

—Sucede lo mismo en casi todos lados, al comienzo, pero luego se pasa. Son buenos muchachos. Igual que tú, un día llegaron y los que ya estaban les hicieron sentir raros e incómodos. Pero luego, poco a poco, se integraron al grupo. Esto es un juego, el mejor de todos, por eso quiero que me hagas un favor.

—Sí, señor.

—Quiero que entres al campo a pasártela bien, quiero que te diviertas. Sólo eso: es un juego, diviértete todo lo que puedas.

Después de escuchar a Paco yo parecía otro. La ansiedad que no me había dejado dormir durante toda la noche desapareció de golpe. Las mariposas que antes revoloteaban en mis tripas se marcharon muy lejos. Pensé en Adrianita y en su beso de la suerte; no podía tener un amuleto mejor.

Antes de empezar el juego busqué a mi padre con la mirada. Estaba a un costado del campo, con los brazos cruzados, caminando de aquí para allá, dándole pataditas al césped con la punta de sus zapatos. Cuando se ponía nervioso le sudaban las palmas de las manos, y ahora estaba en uno de esos momentos, porque a cada rato se las secaba en la parte trasera del pantalón.

¿Qué pasó aquella tarde finalmente? Apenas comenzó el partido el balón llegó a mis pies inesperadamente. Siguiendo el consejo de papá, levanté la cabeza para buscar a mi compañero mejor ubicado, pero para mi sorpresa todos tenían un rival muy cerca.

Avancé con decisión. Eludí a uno, a dos rivales… ¡y seguía sin hallar a alguien a quien pasarle el balón! Dejé en el camino al tercero y al cuarto, pues no tenía otra opción. Y así, sin darme cuenta, me encontré solo ante el portero. Disparé tan fuerte como pude y… ¡Gooolll! ¡Sííí, gooolll!

—Muy bien, chico, muy bien. Excelente –dijo Paco.

Mi padre tenía una sonrisa que iba de una oreja a la otra. Qué feliz estaba. Y hasta hubo unas palmadas en mi espalda.

—Bien, muchacho, así se hace –me felicitaban mis compañeros. De repente ya no me miraban como a un bicho raro.

Y otra de las anécdotas de aquel primer entrenamiento fue que comenzaron a llamarme "Omi".

"Omi, pásala".

"Aquí, Omi".

"Bien, Omi, bien".

Era una señal de simpatía y aceptación.

Con el correr de los días hasta Paco, para darme indicaciones, me llamaba de esa forma.

Aquella vez jugué uno de los mejores partidos de mi vida. Con decirles que llegué a convertir dos goles más... Nunca la pasé tan bien jugando al futbol, y comprendí que si me había destacado, no era solamente por ser un buen futbolista, sino también porque tenía como compañeros a unos muchachos que hacían maravillas con el balón. Eran estupendos.

Un problema redondo

Ya siendo un jugador más del club Juventud Unida, mi vida dio un vuelco. Lunes, miércoles y viernes tenía que ir a los entrenamientos a la salida del colegio. Y los domingos jugaba los partidos.

Una noche escuché hablando a mamá muy seriamente con mi padre.

—No me opongo a que juegue al futbol, Tomás. Pero mi única condición es que no descuide sus estudios. Si Omarcito baja las notas, adiós futbol.

Mi padre estaba empecinado en que me convirtiera en una estrella, de modo que lo tenía detrás de mí todo el tiempo.

"¿Estudiaste Matemáticas?"

"¿Ya hiciste las tareas de Historia?"

"¿Preparaste la redacción de Literatura?"

"¿Necesitas la ayuda de un profesor particular?"

Entre las tareas para el colegio y los entrenamientos, ya casi no asomaba mi nariz fuera de casa. Tanto se notó mi ausencia, que un día fue Daniel a preguntar si acaso yo estaba enfermo.

—Ocurre que no tengo tiempo para nada –le expliqué.

—Hoy jugaremos contra Los Diablos. ¿No vienes?

—¿Hoy? Pero, hoy es martes.

—Sí, pero es festivo.

—¡Es verdad! Entonces sí, dile a los demás que ahora mismo voy.

—¡Qué bueno, Omar! Algunos pensaban que ya no eras nuestro amigo.

—Qué dices, Daniel… Enseguida me cambio de ropa y voy.

—Apúrate que ya va a empezar el partido.

Me hacía mucha ilusión volver a jugar con los compañeros de mi calle. Llevaba como dos semanas sin verles.

Papá entró a mi cuarto cuando me ponía las zapatos de futbol.

—¿Vas a algún lado, Omi?

—A jugar contra Los Diablos.

—Ni lo pienses.

—¿Por qué? –me sorprendí.

—El domingo tienes un partido muy importante. Eres del Juventud Unida, ése es tu equipo. No podemos arriesgarnos a que te lesiones a lo tonto.

—Pero, papá... Me están esperando.

—¿Quieres ser como Messi o no?

—Claro que sí, pero...

—Nada de peros... Para ser profesional, hay que sacrificarse, dejar de lado algunas cosas. Algún día lo entenderás.

Yo no podía entender por qué tenía que dejar de jugar con los compañeros de mi calle. Sentí que los estaba defraudando, que los cambiaba por mis compañeros del club. ¿Y si se enfadaban? No podía permitir que pensaran que yo era un mal amigo.

Tuve una idea que me pareció muy buena.

—De acuerdo, papá. Pero al menos déjame que vaya a verlos, a apoyarlos. Juegan contra nuestros enemigos mortales.

Por suerte mi padre aceptó que fuese a apoyarlos, al menos, con mi presencia.

Cuando llegué al campo el partido ya había comenzado. El padre de Rubén me saludó con simpatía, como siempre, y me dijo:

—Haces bien en cuidarte las piernas, Omar. Aquí podrías tener una lesión, y adiós Juventud Unida por un tiempo.

Me agradó que el hombre se mostrara tan comprensivo. ¿Lo comprenderían también mis colegas?

Ellos parecían no darse cuenta de mi presencia. Y era lógico, tan concentrados en el juego estaban. Corrían y corrían detrás del balón, un balón que siempre estaba en los pies de Los Diablos.

El primer gol de nuestros rivales no tardó en llegar. A los pocos minutos llegó el segundo, y ahí nomás el tercero. Aquello sería una catástrofe futbolística.

Y no era para menos, porque en mi puesto jugó Juanito, el hermano menor de Hugo, que apenas tenía 7 años. No había otro más grande a quien recurrir, y Los Diablos aprovecharon a fondo esa ventaja, ya que

para ellos era como tener un jugador más en el campo.

Aún me duele recordar aquello. Y en cuanto al resultado final, ¿adivinan cuál fue? Fue 10 a 0. Un 10 a 0 que era como tener diez puñales clavados en nuestros corazones de pequeños vikingos. Un 10 a 0 cruel, doloroso, humillante.

Mientras Los Diablos festejaban entre gritos, cánticos y abrazos, mis colegas se quedaron en el campo un momento, inmóviles, avergonzados, con la mirada perdida en el suelo, como si buscasen una explicación a algo que tenía una única respuesta: eran mejores que nosotros, siempre lo serían y nunca jamás podríamos vencerles.

La sensación que tuve fue la de un General que, con tristeza, ve a su ejército vencido, derrotado, herido de muerte en el campo de batalla. ¿Qué podía hacer yo en ese instante?

En fila india mis amigos pasaron a mi lado para irse a sus casas. Pensé que debía decir algo, algunas palabras de consuelo, algo que les levantase el ánimo.

—Tuvieron suerte, nada más. Juanito es muy pequeño –murmuré.

Algunos me miraron como si yo fuese un extraño. Mario, Rubén, Hugo… ninguno dijo nada. Entonces me acerqué a Daniel, él era mi mejor amigo.

—Nos ganan porque son más grandes –le dije–. Se aprovechan de eso.

Fue la primera vez que Daniel me miró con rabia.

—A ti no te ganaron. Nos ganaron a nosotros. Nosotros perdimos, tú no.

—¿Por qué dices eso, Dani?

—Dijiste que venías a jugar. Me fallaste. ¡Nos fallaste a todos!

—No, no... Nada de eso. Pasó que mi padre no me dio permiso. Yo sí quería jugar.

—Tus nuevos amigos del Juventud Unida son mejores que nosotros. Es eso, ¿no? Prefieres jugar con ellos.

—¡Claro que no! –le grité en la cara.

—Tú ya tienes equipo, Omar. Este ya no es más tu equipo.

Me dio la espalda y lo vi alejarse despacio, cojeando de una pierna, hasta que desapareció tras el portal de su casa. Y yo regresé a la mía, muy triste, con muchas lágrimas corriéndome por la cara.

—¿Qué te ha pasado mi amor? –se asustó mi madre al verme llegar en esas condiciones.

No pude decirle nada, estaba ahogado por el llanto. Corriendo me metí en mi cuarto y ahí, tirado en la cama, lloré toda la rabia y la tristeza que tenía por dentro.

Al rato ya estaba papá llamando a mi puerta.

—¿Puedo entrar?

—Sí –sollocé.

Se sentó a mi lado y me secó las lágrimas con un pañuelo. Me preguntó por qué estaba así, y se lo conté todo. Necesitaba desahogarme.

—Omi, eso es pasajero. Tus amiguitos acabarán por entender que ahora ya no puedes cansarte tanto, porque ya mucho tienes con jugar en el club… Verás lo orgullosos que estarán cuando seas una estrella. Estarán más que felices contándole a todo el mundo que son tus amigos.

—¿Tú crees?

—Te apuesto lo que quieras. Ellos te quieren mucho, y precisamente por eso se mostraron de esa forma contigo hoy. Notaron tu falta. Lo malo hubiese sido que les diera igual.

—¿Lo dices en serio, papá?

—Nunca hablé más en serio en toda mi vida.

Una difícil decisión

Papá estuvo en lo cierto. Con el tiempo las cosas mejoraron muchísimo. Por una parte, los campeonatos no duraban todo el año; en las vacaciones de invierno y verano no se jugaba. Tampoco había partidos los días festivos y mucho menos los días en que llovía mucho (cosa que en mi barrio no pasaba, jugábamos aunque cayeran perros y gatos del cielo).

De manera que pude jugar con los colegas de mi calle cientos de partidos. Y eso no fue todo. Papá se convirtió en nuestro entrenador. Ahora sabía más de futbol que antes, porque siempre iba a ver cómo entrenaba Paco a mi otro equipo.

Nos enseñó estrategias y mejores formas de movernos en el campo. Y así, un buen día, sucedió el milagro. Le ganamos a Los Diablos 1 a 0 con un golazo mío. Ellos no lo podían creer. Y hubo un segundo triunfo, y otro, y otro más. Ahora ambas fuerzas eran parejas.

Aquella fue una época de gloria, un tiempo dorado. Y quizás ustedes estarán preguntándose cómo es que recuerdo todo, hasta los mínimos detalles.

Bueno, no es tan complicado de entender. El libro de cuentos que aquella vez me regaló mi madre, dejó una huella muy grande en mí. Si antes de eso me fascinaba escribir historias, pues luego mucho más. Mi amor por las historias se agigantó.

En mis ratos libres no hacía otra cosa más que leer y escribir. Si bien es cierto que escribía cosas para mi propia diversión y entretenimiento, en el fondo me hacía ilusión pensar que algún día esas historias podían interesar y entretener a otros.

Empecé un diario íntimo donde contaba todas mis vivencias cotidianas: alegrías, tristezas, ilusiones, sueños, pensamientos, goles y hasta lesiones. Absolutamente todo. Y gracias a eso es que ahora puedo contarles todo sin olvidarme de nada.

Les sigo contando:

Hasta la Navidad de 2007 yo creía que convertir un gol era la alegría máxima, algo que ninguna otra cosa podía superar. Como ya les dije, disfrutaba mucho escribiendo historias, pero marcar un gol era como

tocar el cielo con las manos, donde todos te colmaban de abrazos y felicitaciones. En cambio escribir era como mi fiesta secreta. Sí, secreta, hasta que un inesperado día dejó de serlo.

Las cosas sucedieron de este modo:

En diciembre de 2007, en mi colegio organizaron un concurso de cuentos cuyo tema era la Navidad. Obviamente, yo participé. Escribí una bonita historia donde los Reyes Magos no eran tres, sino cincuenta. El caso es que el cuento fue el que más le gustó al jurado, ¡y gané el primer premio!

Es difícil describir la alegría que sentía en ese momento. Eso me enseñó que el futbol no lo era todo en mi vida, y que un gol no es lo único que puede llenarte de felicidad. Mandaron colocar mi foto y mi cuento en todas las paredes del colegio.

A cada paso me felicitaban mis compañeros, y también se acercaban a saludarme muchachos del colegio con los que jamás había hablado.

Resultó un acontecimiento increíblemente feliz, pero para mi padre no fue nada fácil afrontar lo que vendría luego:

Una mañana lo citó mi profesora de literatura, y le dijo que el colegio había decidido otorgarme una beca para estudiar con un famoso escritor de provincia, también le dijo que yo tenía mucho talento, que eso era como una bendición, y que no se podía desaprovechar. Yo estaba encantado con la noticia, fue como convertir un gol, e incluso mejor.

—Bueno, Omarcito –me habló papá muy seriamente y a solas–. Si aceptas la beca tendremos que viajar para visitarte todos los fines de semana durante un año. Eso significa que ya no podrás jugar en el club. Piensa bien lo que deseas hacer.

Yo no tenía que pensar mucho, sabía muy bien lo que quería para mí, pero tampoco deseaba lastimarlo con mi decisión.

—¿Ya no quieres ser como Messi? –me preguntó en voz baja.

—Es que yo... Disfruto mucho... escribiendo historias, papá –le respondí, balbuceando.

La tristeza que vi en su mirada es algo que no olvidaré nunca. Era un hombre al que se le escapaba por segunda vez un mismo sueño.

Tampoco olvidaré su tierno abrazo, ni sus palabras:

—Lo que elijas estará bien.

—¿Me vas a seguir queriendo como antes? –quise saber.

Noté que se le escapaba una lágrima.

—Vaya, ¿qué pregunta es esa? –sonrió y me abrazó más fuerte–. Yo te querré siempre, y te apoyaré en todo lo que decidas hacer en la vida. Eres el mejor hijo del mundo.

Fue un alivio. Cuánto necesitaba escuchar eso.

Yo quiero ser...

Para el final les contaré que cuando el escritor que dirigía el taller literario en provincia me preguntó si me atrevía a compartir mi diario íntimo con más personas, además de él, yo respondí que sí, pensando que se lo daría a leer a mis compañeros del taller.

Pero qué lejos estaba yo de imaginar lo que se vendría. Y lo que se vendría llegó varios meses después a casa, en una pequeña caja de cartón, a mi nombre. *Ejemplares de obsequio*, decía el etiquetado.

El envío era de una editorial. ¿Qué libros podía enviarme una editorial a mí? Además, mamá y papá estaban bien seguros de no haber hecho ningún pedido, y yo mucho menos.

Llenos de intriga, entre los tres abrimos la caja. Adentro había varios libros idénticos. Y en las portadas podía verse... ¡Mi nombre! Fue increíble.

Muy emocionados leímos el título de la que sería mi primera novela: *Eclipse de gol*.

Palabras de un hijo a su padre:

Miles y miles de aves atraviesan el cielo, ningún vuelo es igual a otro, cada una de ellas agita sus alas de manera diferente. Así también son los sueños de las personas. Todos venimos a este mundo con sueños muy distintos, y debemos luchar por hacerlos realidad. Tú tienes tus sueños, y yo los míos. La vida es un sueño, un viaje, un largo vuelo. Y aunque nuestras alas se agiten de manera distinta, eso no impide que volemos juntos. Tú me enseñaste a volar, y te lo agradeceré eternamente, pero déjame que yo escoja mi manera de hacerlo. Vuela cerca de mí, acompáñame siempre, y nuestro vuelo sin duda será maravilloso.

ÍNDICE

La dulce espera 9
El sueño de mi padre 17
Mi amor por las historias 25
Mis amigos y Los Diablos 33
De futbol hasta las narices 43
Una estrella empieza a brillar 51
Un problema redondo 59
Una difícil decisión 67
Yo quiero ser... 73
Palabras de un hijo a su padre 75

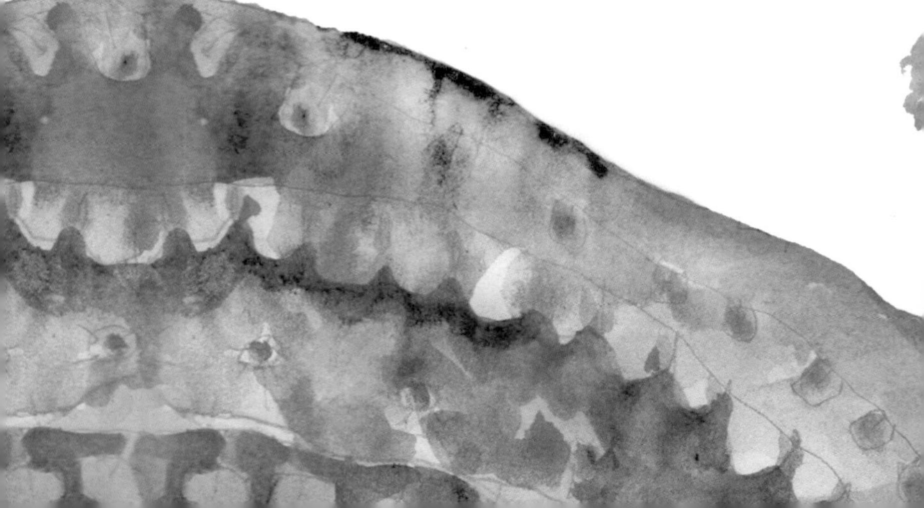

Se terminó la impresión de esta obra en octubre
de 2010 en los talleres de Editorial Progreso, SA de CV
Naranjo No. 248, Col. Santa María la Ribera
Delegación Cuauhtémoc, CP 06400, México, DF.